Copyright © 1991 by Susaeta Ediciones, S.A.
All rights reserved. Published by Scholastic Inc., 555 Broadway,
New York, NY 10012, by arrangement with Susaeta Ediciones, S.A.
Printed in the U.S.A.
ISBN 0-590-93563-1

3 4 5 6 7 8 9 10   24   03 02 01 00 99 98

EL PEZ ROJO
Y EL PEZ AMARILLO

EL PEZ ROJO
Y EL PEZ AMARILLO

Carmen Blázquez Gil
Violeta Monreal

SCHOLASTIC INC.
New York Toronto London Auckland Sydney

En una bonita

vivían un ,

un

y una pequeña

muy vieja.

Los **3** eran amigos

y en la

no les faltaba de nada.

Los  habían nacido

en un  .

Pero la  no,

ella recordaba el  .

Sabía historias

de  y

de y

Los  deseaban

conocer el  .

Un día se despidieron

de la  .

Al limpiarles la

saltaron con fuerza.

Escaparon escurriéndose

por el .

Dieron vueltas y vueltas

dentro de la .

Sintieron mucho miedo

en aquella  .

Por fin salieron

al cauce de un  .

La corriente les empujó

entre los y las .

Tenían tanta hambre

que casi pican en un  .

Acudieron a salvarles

los de

y les invitaron a quedarse.

El y el

prefirieron seguir

hasta el  .

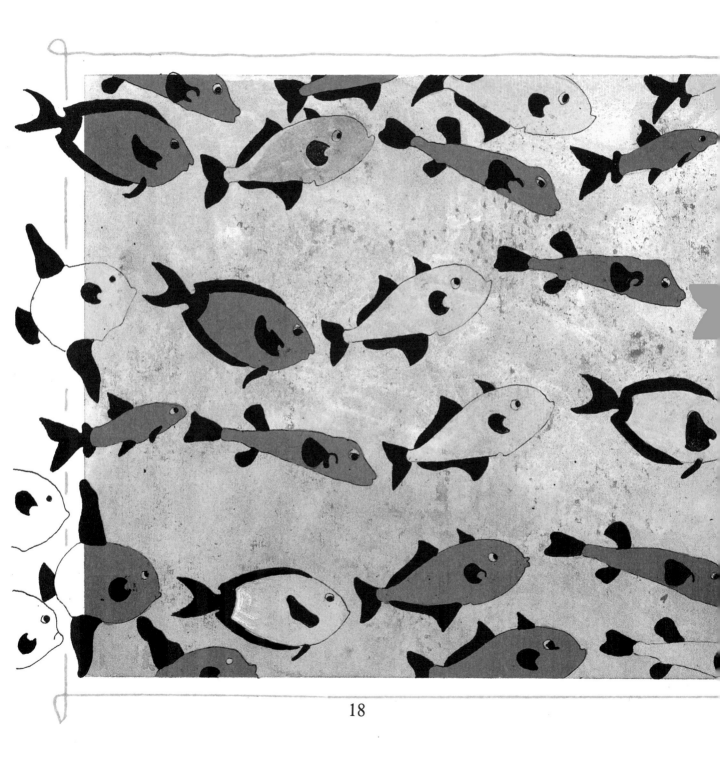

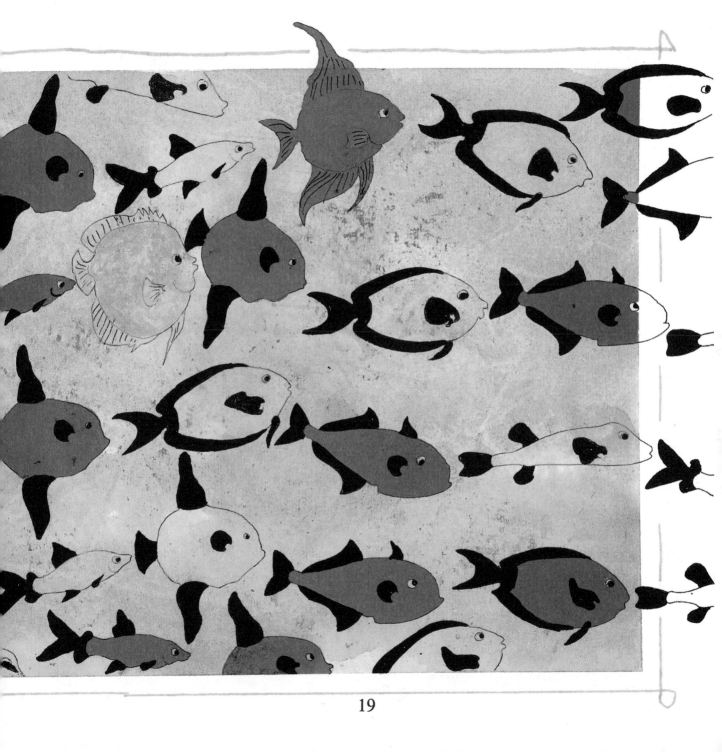

Cuando llegaron al

se perdieron entre las  .

Preguntaron a los  de mar:

—¿Dónde viven

los  y  ?

—No sabemos —contestaron—.

Quizá más abajo.

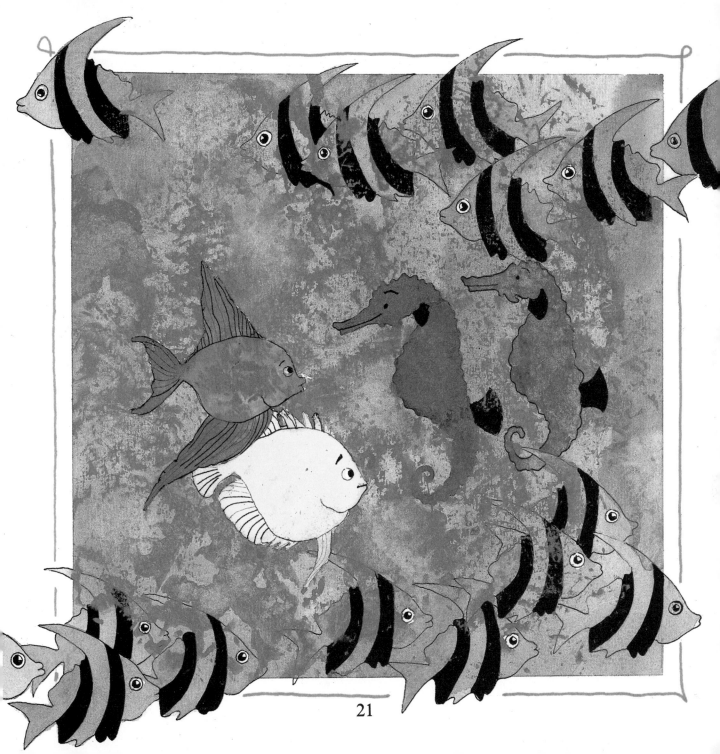

Nadaron más abajo.

Donde está tan

que los

alumbran como

para no chocarse.

Pero allí no vivían

los  ni los 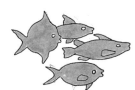 .

Vieron a un

liado con sus

y le desenredaron.

El  les dijo:

—Los y los

viven entre las .

Pero cuidado,

allí caza el  .

Huían del

cuando encontraron

a los  y  .

Brillaban como el

y eran tantos

que el  se alejó.

Los 2  amigos

descansaron por fin.

Todos los  del

aprendieron las aventuras

del y el

que eran amigos.

Desde entonces

las bandadas de

y las bandadas de

van siempre juntas.

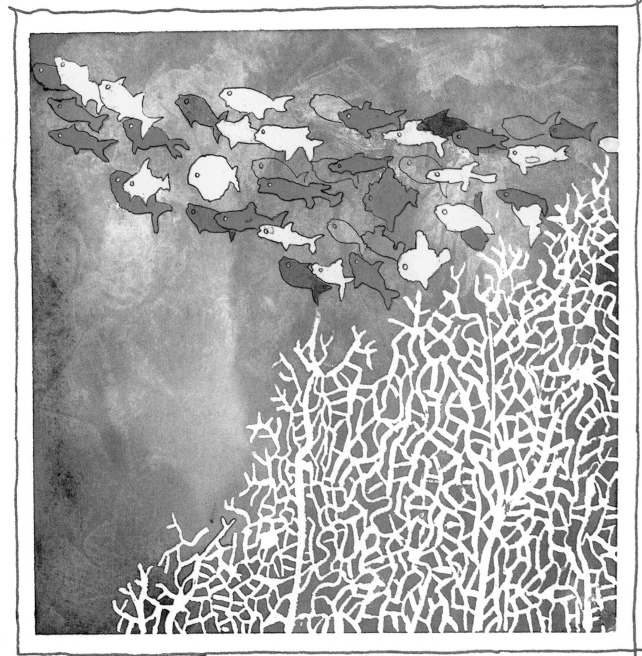